北魏·张猛龙碑

中国书法名碑名帖原色放大本

胡紫桂 主编

CNS
全国百佳图书出版单位
湖南美术出版社

图书在版编目（CIP）数据

北魏·张猛龙碑 / 胡紫桂主编. — 长沙：湖南美术出版社，2015.6

（中国书法名碑名帖原色放大本）

ISBN 978-7-5356-7279-7

Ⅰ. ①北… Ⅱ. ①胡… Ⅲ. ①楷书-碑帖-中国-北魏 Ⅳ. ①J292.23

中国版本图书馆CIP数据核字(2015)第160469号

北魏·张猛龙碑

（中国书法名碑名帖原色放大本）

出 版 人：黄　啸

主　　编：胡紫桂

副 主 编：成　琢　陈　麟

编　　委：冯亚君　邹方斌　倪丽华　齐　飞

责任编辑：成　琢　邹方斌

责任校对：王玉蓉

装帧设计：造书房

版式设计：彭　莹

出版发行：湖南美术出版社

（长沙市东二环一段622号）

经　　销：全国新华书店

印　　刷：成都中嘉设计印务有限责任公司

（成都蛟龙工业港双流园区李渡路街道80号）

开　　本：889×1194　1/8

印　　张：4

版　　次：2015年6月第1版

印　　次：2019年9月第3次印刷

书　　号：ISBN 978-7-5356-7279-7

定　　价：35.00元

邮购联系：028-85939832　邮编：610041

网　　址：http://www.scwj.net

电子邮箱：contact@scwj.net

如有倒装、破损、少页等印装质量问题，请与印刷厂联系斢换。

联系电话：028-85939809

《张猛龙碑》全称《魏鲁郡太守张府君清颂之碑》，立于北魏孝明帝正光三年(522)。碑额三行十二字，正书『魏鲁郡太守张府君清颂之碑』；碑阳正文二十四行，行四十六字，后附刻立碑官吏姓名；碑阴为捐款者题名，共十一列。碑中未署书丹者姓名。原石现在山东曲阜孔庙中。现存拓本中，尤以明代的『冬温夏清』不损、『盖魏』二字不连拓本为佳。

张猛龙，南阳白水人，汉初名臣张耳之后。其祖上名人辈出，史书多有载录，实为名门望族。北魏时，张猛龙以其德望官拜鲁郡太守，在其任上建学校、行教化、正人伦，『治民以礼、移风以乐』。为颂其功德，其属下及民众『刊石题咏，以旌盛美』。

该碑始见于宋代赵明诚《金石录》及郑樵的《通志略》，明代赵崡《石墨镌华》、郭宗昌《金石史》亦有收录。以上文献收录此碑，重在金石文字考据，而未对其书法做进一步研究，故未引起书坛太多注意。清代碑学兴起后，此碑经康有为等书家的大力推崇而备受书坛重视。康有为《广艺舟双楫》谓：『《张猛龙》为正体变态之宗。如周公制礼，事事皆美善。』将其列为『精品上』，并称其『作字工夫，斯为第一，可谓人巧极而天工错矣』。

《张猛龙碑》书法以方笔为主，方圆兼施，线条刚健，淳朴凝重，极具视觉冲击力；结字中宫紧收，四面开张呈放射状，疏密奇巧，收放有度，笔画之间常以粘连、化并来营造一字之『精神挽结处』，偏旁部首之间常以斜正、起伏、大小、错落来求得奇趣；字形变化万千而不失法度，于险绝之中求平正，于浑融之中加生动，通篇浑然一体，宛若天成。在魏碑书法之中，《张猛龙碑》以其独特书风而堪称典范。

魏鲁郡太守张府君清颂之碑

君讳猛龙，字神冏，南阳白水人也。其氏族分兴，源流所出，故已备详世录，不复具载□。□□□盛，鬱郁于

帝皇之始，德星□□，曜像于朱鸟之间。渊玄万壑之中，巉岩千峰之上。弈叶清高，焕乎篇牍矣。周宣时，□

□张仲，诗人咏其孝友。光缉姬氏，中兴是赖。晋大夫张老，《春秋》嘉其声绩。汉初赵景王张耳，浮沉秦汉之

间，终跨列土之赏，耀十世著，君其后也。魏明帝景初中，西中郎将、使持节、平西将军、凉州刺史之十世

孙。八世祖轨，晋惠帝永兴中使持节、安西将军、护羌校尉、凉州刺史、西平公。七世祖素，轨之第三子，晋明

帝太宁中临羌都尉、平西将军，西海、晋昌、金城、武威四郡太守，遂家武威。高祖钟信，凉州武宣王大沮渠

时建威将军、武威太守。曾祖璋，伪凉举秀才，本州治中从事史，西海、乐都二郡太守，还朝，尚书祠部郎、羽

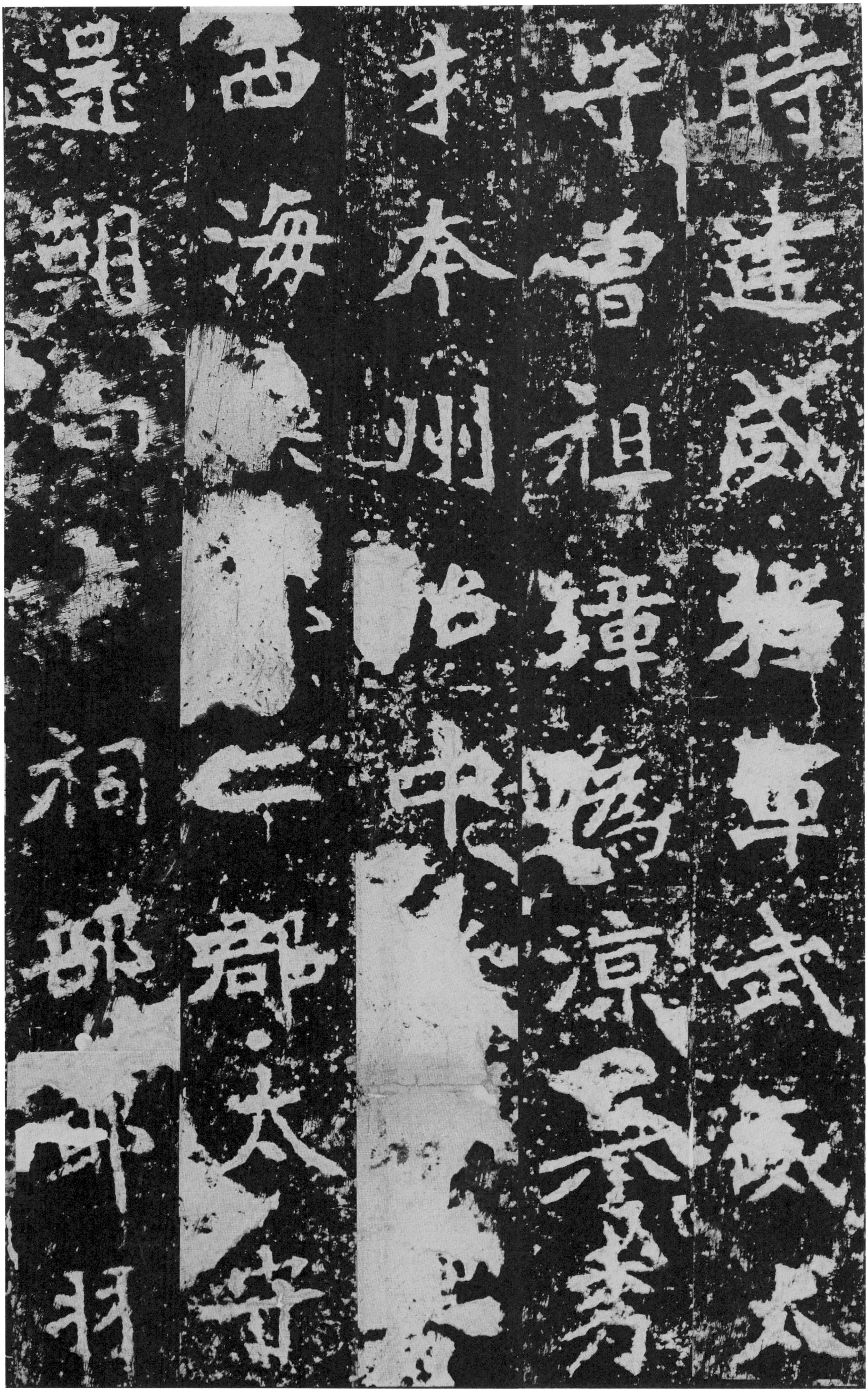

林监。祖兴宗，伪凉都营护军、建节将军，饶河、黄河二郡太守。父生乐……

归国。青衿之志，白首方坚。君体禀河灵，神资岳秀。桂质兰仪，点弱露以怀芳；松心……

□□成，自□□朗。若新蘅之当春，初荷之出水。入孝出第，邦闾有名。虽黄金未应，无惭郭氏；友朋□□，交

游□□。□□超遥，蒙争入表。年廿七，遭父忧，寝食过礼，泣血情深。假使曾、柴更世，宁异今德？既倾乾覆，唯

侍坤慈。冬温夏清，晓夕承奉。家贫致养，不辞采运之勤。年卅九，丁母艰。勺饮不入，偷魂七朝。磬力尽思，备

之生死，脱时，当宣尼无愧深叹。每事过人。孤风独超，令誉日新，声驰大紫。以延昌中出身，除奉朝请。优游

文窅，朋侪慕其雅尚。朝廷以君荫望如此，德□宣畅，以熙平之年，除鲁郡太守。治民以礼，移风以乐。如伤

之痛，无怠于夙宵；若子之爱，有怀于心目。是使学校克修，比屋清业。农桑劝课，田织以登。入境观朝，莫不

礼让。化感无心，草石知变，恩及泉木，禽鱼自安。胜残不待赊年，有成期月而已。遂令讲习之音，再声于阙

里，来苏之歌，复咏于洙中。京兆五守，无以克加；河南二尹，裁可若兹。国名位未一，风□□□。且易俗之□，

黄侯不足比功；霄鱼之感，密子宁独称德。至乃辞金退玉之贞耿，拔葵去织之信义，方之我君，今犹古也。

《诗》云：『恺悌君子，民之父母。』实恐韶曦迁影，东风改吹。因地民庶，逆深泫慕。是以刊石题咏。以旌盛美。诚□

能式阐鸿□，庶扬休烈□。其辞曰：氏焕天文，体承帝胤。神秀春方，灵源在震。积石千寻，长松万刃。

轩冕周汉，冠盖魏晋。河灵岳秀，月起景飞。穷神开照，式诞英徽。高山仰止，从善如归。唯德是蹈，唯仁是依。

栖迟下庭，素心若雪。鹤响难留，清音遐发。天心乃眷，观光玉阙。浣绂紫□，承华烟月。妙简唯□，剖符儒乡。

分[金]沂道，裂锦邹方。春明好养，温而□霜。乃如之人，实国之良。礼□□□，□□□□。□□之恤，小大以[情]。

□□□洗，濯此群冥。云褰天净，千里开明。学建礼修，风教反正。野畔让耕，林中……

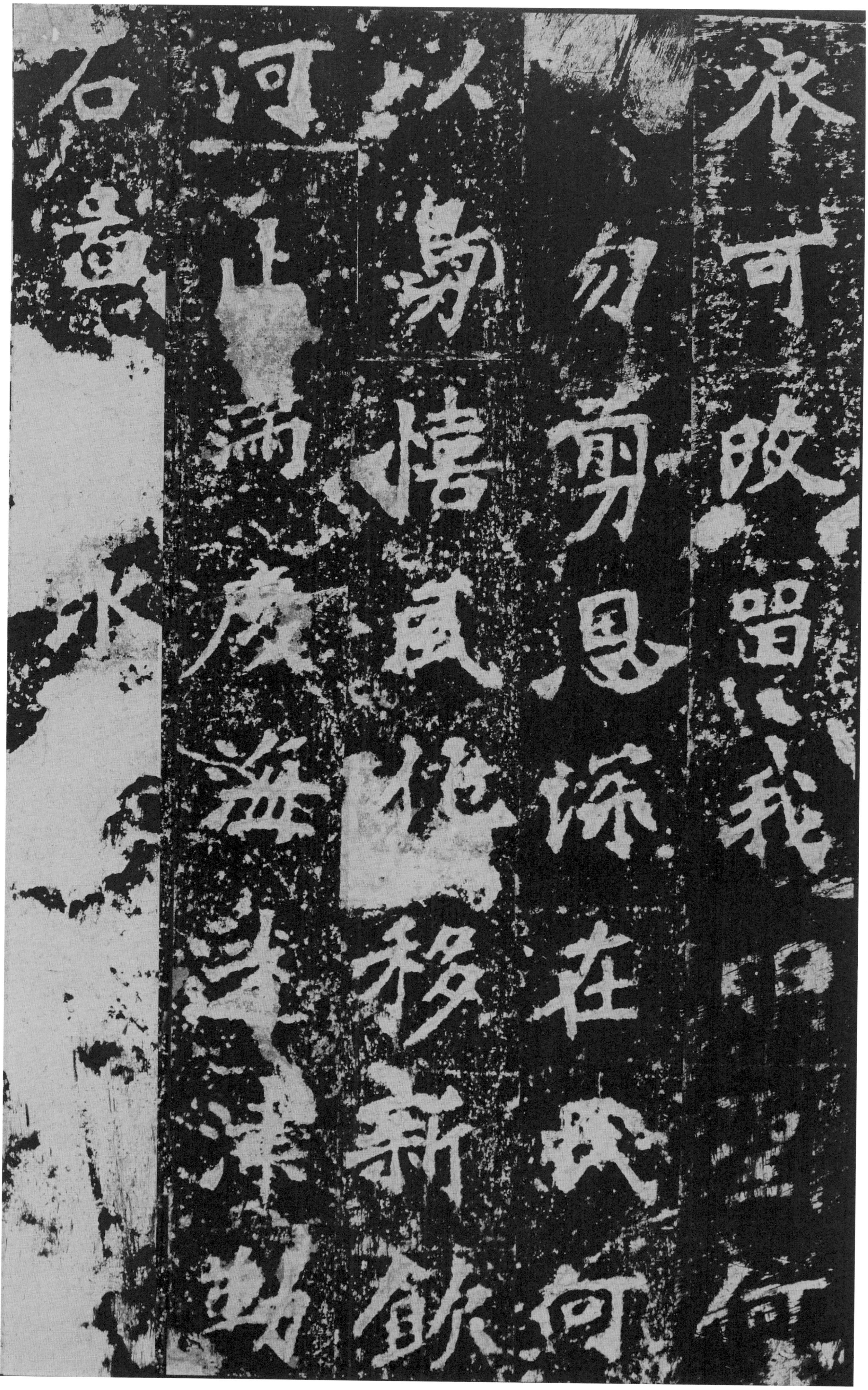

衣可改，留我明圣。何以勿剪，恩深在民。何以凫憘，风化移新。饮河止满，度海迷津。勒石图□，永□□□。

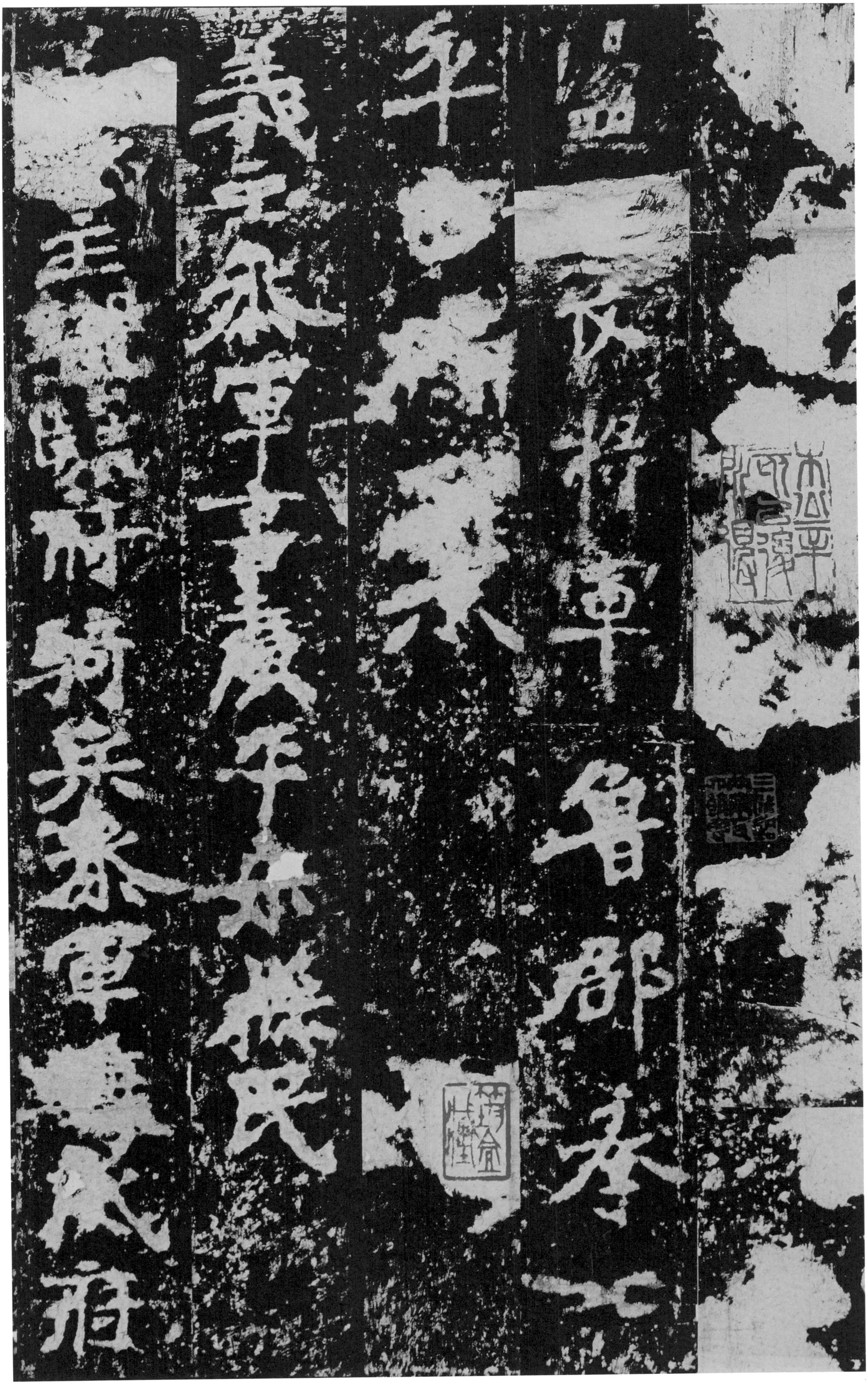

荡寇将军、鲁郡丞、北平□□□。义主参军事广平宋抚民。义主龙骧府骑兵参军、骧威府

长史、征鲁府治城军主□军□。义主本郡二政主簿□□□。义主颜路。义主离狐令宋承僖。汶阳县义主南城令严孝武。

义主□贤文。阳平县义主州主簿王盆生。义主□□□造颂四年，正光三年正月廿三日讫。